学前三百字

学前三百字歌诀

男女老幼 你我他她 叔婶爷奶 孩子爸妈

哥姐弟妹 人体 鼻唇口牙

指掌手足

说听看

抬扛搬 接送礼让 拍打推拉

友客请谢 出进挤压 胖瘦美丑 优劣好差

工农商学 文史理化 红黄蓝绿 春秋冬夏

黑白灰褐 多少小大 一二三四 五六七八

九十百千 乘除减加 前后左右 里外上下

远近高低 峰岭坑洼 江河湖海 天地山崖

雨雪雷电 水火风沙 日月星云 树叶草花

梅兰竹菊 松柳枫桦 田土木石 路桥楼塔

车船飞机 枪炮镖靶 金银铜铁 锹铲钉耙

禾稼 著

吉林美术出版社

d 得

t 塔

n 讷

l 乐

q 旗

x 西

zh 纸

ch 吃

s 思

y 衣

w 乌

声调符号：普通话里有阴平、阳平、上声、去声四个声调，也可称为一、二、三、四声，分别以一、ˊ、ˇ、ˋ四种符号表示。它标在音节的主要韵母上，轻声不标。

声调特点：一声高高一路平，二声由低往上扬，三声先降再升起，四声由高降到低。

这是一本为新世纪学前儿童创作的别开生面的识字书。

首先，它利用写真图片，帮助小读者认字、理解字义，体现了识字的直观性和趣味性。

其次，书中包含了每个字的字音、字形、字义、笔画、偏旁部首、笔顺、组词、英文等内容，体现了本书多功能的特点和实用价值。

另外，书中采用中国传统蒙学中的四言句式，渗透传统语言文字精华，把学前300字组成琅琅上口的歌诀，便于小读者掌握并获得多种常识，也便于在社会上广泛流传。

相信本书会受到广大学前儿童、家长和教师的欢迎，并成为他们的良师益友。

目录

nán

男

男人
man

| 7画 | 田 |

男子　男性
男生　男孩

丶　口　日　田　田　罗　男　

nǚ

女

女人
woman

| 3画 | 女 |

妇女　少女
女生　女孩

く　女　女

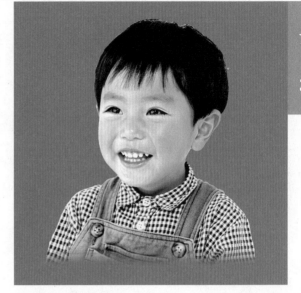

lǎo

老人
old people

老

6画　老

老师　老板
老实　老练

一　十　土　耂　耂　老

yòu

幼儿
infant

幼

5画　幺

幼苗　幼小
年幼　幼稚

乚　纟　幺　幻　幼

2

你
我

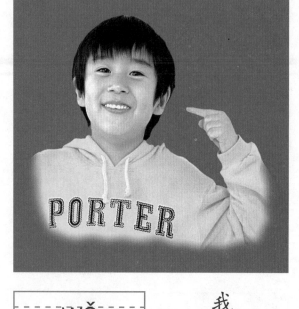

nǐ	你 you
	7画　亻 你们　你好 你的　爱你

丿　亻　亻　你　你　你　你

wǒ	我 I
	7画　戈 我们　我家 自我　忘我

一　二　于　手　找　我　我

3

tā	他 he
他	5画　亻 他们　他俩 他人　他乡

丿　亻　仁　仲　他

tā	她 she
她	6画　女 她们　她俩 她的　给她

乚　夊　女　如　奵　她

4

叔
姨

| shū | 叔叔 |
| | uncle |

叔

8画	又
大叔	叔伯
表叔	堂叔

丨 卜 上 才 扌 朮 叔 叔

| yí | 阿姨 |
| | aunt |

姨

9画	女
大姨	姨夫
姨妈	婆姨

乚 乚 女 女 女' 妈 姨 姨
姨

yé	爷爷 grandfather
爷	6画　父
	师爷　大爷 老爷　王爷

丶 八 グ 父 爷 爷

nǎi	奶奶 grandmother
奶	5画　女
	奶妈　奶粉 奶茶　奶瓶

く 女 女 奶 奶

6

孩
子

hái	孩子
	children

孩

| 9画 | 子 |

小孩　孩童

孩儿　孩提

⁊	了	孑	孑	孖	孖	孩	孩
孩							

zǐ	儿子
	son

子

| 3画 | 子 |

父子　子女

裤子　子弹

⁊	了	子					

bà	爸爸 father
爸	8画　父 我爸　阿爸 老爸　干爸

丶	八	父	父	父	爷	爷	爸

mā	妈妈 mother
妈	6画　女 阿妈　大妈 姑妈　舅妈

ㄥ	乜	女	妁	妈	妈

哥
姐

gē	哥哥
	elder brother

哥

| 10画 | 一 |

大哥　表哥

哥俩　哥们

| 一 | 一 | 一 | 哥 | 哥 | 哥 | 哥 | 哥 |

哥　哥

jiě	姐姐
	elder sister

姐

| 8画 | 女 |

大姐　表姐

姐俩　姐夫

| 乚 | 乸 | 女 | 如 | 如 | 如 | 姐 | 姐 |

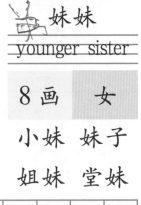

dì	弟弟
	younger brother

弟

7画	八
小弟	兄弟
弟妹	弟子

、　丷　丷　쓰　쓰　弟　弟　弟

mèi	妹妹
	younger sister

妹

8画	女
小妹	妹子
姐妹	堂妹

乚　女　女　女　奸　奸　妹

10

人
体

rén	人

people

2画　人

人民　人物

亲人　人参

ノ	人						

11

tǐ	体操

gymnastics

7画　亻

身体　体力

体育　体贴

ノ	亻	亻	什	什	休	体	

tóu

头

头 head	
5画	、

头脑　头领
骨头　船头

、　、　ニ　头　头

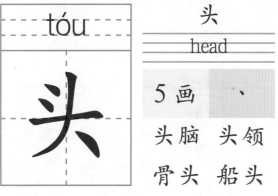

fà

发

发 hair	
5画	又

理发　毛发
卷发　白发

一　ナ　万　发　发

12

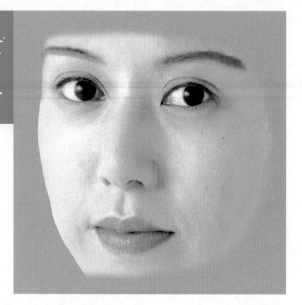

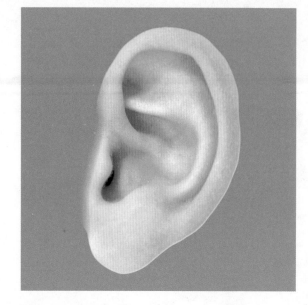

liǎn	脸 face
脸	**11画** **月** 笑脸 脸色 脸谱 洗脸

丿 刀 刀 月 月 脌 脸 脸

脸 脸 脸

ěr	耳 ear
耳	**6画** **耳** 耳朵 耳环 耳语 木耳

一 丁 干 耳 耳 耳

méi	眉 eyebrow
眉	9画　目
	眼眉　眉毛 眉头　眉梢

㇆	㇆	㇆	尸	尸	尸	眉	眉	眉
眉								

mù	目 eye
目	5画　目
	目光　目标 目的　题目

丨	冂	月	月	目			

14

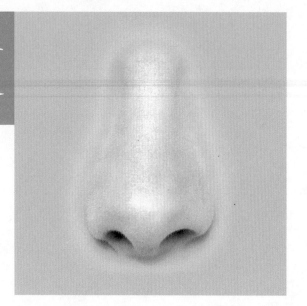

bí	鼻
	nose
	14画　自
	鼻子　鼻孔
	鼻涕　针鼻

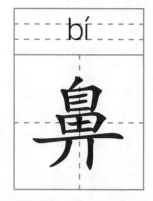

chún	唇
	lips
	10画　口
	嘴唇　唇齿
	唇舌　唇膏

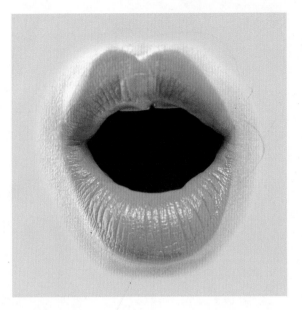

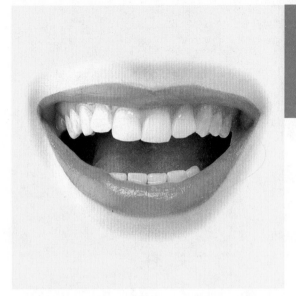

口 牙

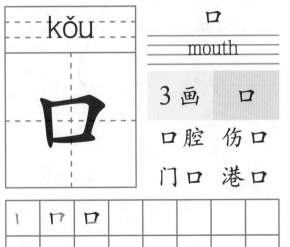

kǒu

口

口
mouth

3画　口

口腔　伤口
门口　港口

丨	冂	口					

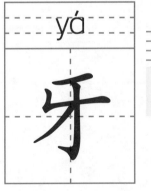

yá

牙

牙
teeth

4画　一

牙齿　牙刷
牙医　月牙

一	二	于	牙				

16

zhǐ	手指 finger
指	9画　扌 指甲　指点 指挥　指南

zhǎng	手掌 palm
掌	12画　手 掌心　脚掌 鼓掌　掌握

一　亅　扌　扩　扩　指　指

指

丷　丷　丷　丷　尚　尚　尚　尚

尚　尚　堂　掌

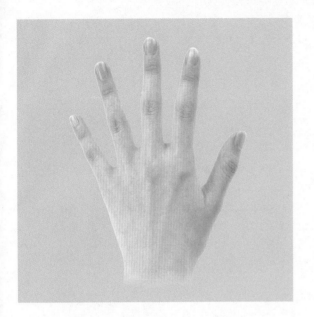

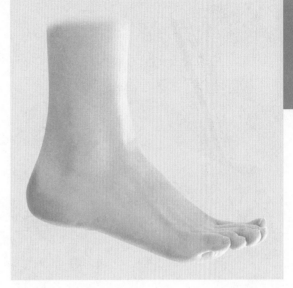

shǒu

手

手
hand

4画　手

手绢　手表
手枪　手术

一　二　三　手

zú

足

足
foot

7画　足

足球　满足
知足　足够

丶　丨　口　口　尸　尸　足

xiě	写 write
写	5画　一
	写字　听写 描写　写生

| ` | ⼇ | ⼇ | 写 | 写 | | | |

jiǎn	剪 scissors
剪	11画　刀
	剪子　剪票 剪纸　剪彩

| ` | ⺌ | 一 | 产 | 前 | 前 | 前 | 前 |
| 前 | 剪 | 剪 | | | | | |

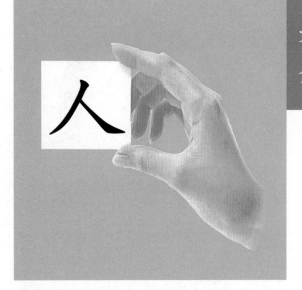

jiā	夹
	nip

6画	一

夹子　夹板

夹层　夹杂

一	一	口	开	平	夹		

ná	拿
	take

10画	人

拿来　拿起

拿手　拿获

丿	人	入	人	仒	合	合	今
仐	拿						

哭
笑

kū

哭
cry

| 10画 | 口 |

哭泣　痛哭
哭声　哭诉

哭 哭

xiào

笑
smile

| 10画 | 竹 |

微笑　笑容
笑话　笑星

笑 笑

chī	吃 eat

6画	口

好吃　吃苦

吃力　吃惊

丶	丿	口	口	口	吃		

shuì	睡 sleep

13画	目

睡觉　睡眠

熟睡　睡衣

丨	冂	冂	月	目	目	盯	盯
眪	盱	睡	睡	睡			

22

xǐ	喜爱 love
喜	12画　士 喜欢　喜悦 喜庆　喜鹊

一	十	士	圭	吉	吉	吉	吉
壴	壴	喜	喜				

23

lè	欢乐 joy
乐	5画　丿 乐观　乐趣 乐意　乐园

一	二	乐	牙	乐		

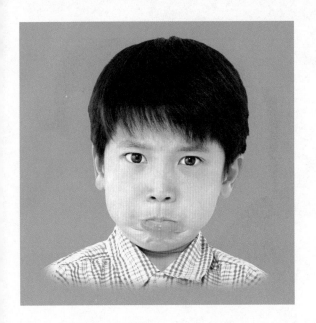

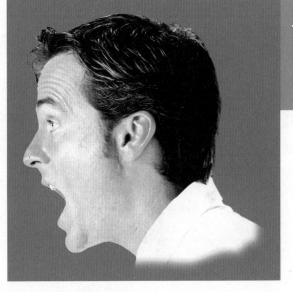

nù	怒 anger

怒	9画　心
	愤怒　恼怒
	怒火　怒吼

乚	乆	女	女	奴	奴	怒	怒

| 怒 | | | | | | | |

mà	骂 scold

骂	9画　马

	辱骂　责骂
	打骂　挨骂

丶	丷	叩	叩	叩	罒	骂	骂

| 骂 | | | | | | | |

shuō

说
speak

说

| 9画 | 讠 |

说理　说服
说明　说谎

丶　讠　讠　讠　讲　说　说　说

说

tīng

听
listen

听

| 7画 | 口 |

听见　听话
听从　听课

丶　丿　口　口　听　听　听

kàn	看
	look

	9画	目

看

看见　难看
看病　看法

一	二	三	乒	禾	看	看	看
看							

xiǎng	想
	think

	13画	心

想

思想　想法
想象　想念

一	十	才	木	机	相	相	相
相	相	想	想	想			

站
立

zhàn

站
stand

| 10画 | 立 |

站立　站队
站岗　车站

站
stand up

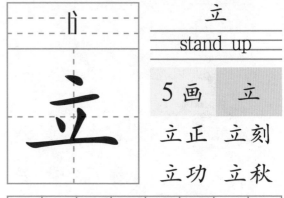

| 5画 | 立 |

立正　立刻
立功　立秋

、	＾	㇍	古	立	刲	計	計
站	站						

、	＾	㇍	古	立			

27

zuò	坐 sit

坐

7画	土

坐下　请坐

坐位　坐车

⸜	人	𠈌	丛	坐	坐	坐

pá	爬 crawl

爬

8画	爪

爬行　爬山

爬高　爬虫

⸜	厂	丁	爪	爪	爪	爬	爬

jǔ	举手 raise your hands
	9画　丶
	举重　举行 举办　举例

丶	丷	⺌	丷	兴	兴	兴	兴
举							

wò	握手 shake your hands
	12画　扌
	紧握　握拳 掌握　把握

一	扌	扌	扩	护	护	护	护
捏	捏	捏	握				

wǔ	跳舞 dance
舞	14画　丿 舞蹈　舞台 舞曲　鼓舞

`	⺈	⺊	⺊	⺊	無	無	無
舞	舞	舞	舞	舞	舞		

chàng	唱歌 sing
唱	11画　口 歌唱　演唱 合唱　唱片

㇑	冖	口	叩	叩	叩	唱	唱
唱	唱	唱					

zǒu	走 walk

走

7画	走

行走　走路
走廊　走运

一	十	土	卡	卡	走	走	

pǎo	跑 run

跑

12画	足

跑步　长跑
逃跑　跑车

丶	丷	口	甲	무	足	足	趵
趵	跑	跑	跑				

tiào	跳水 dive
跳	13画　足 跳跃　跳绳 跳伞　跳板

丶　丨　口　口　甲　甲　足　足　跟

跍　跙　趴　跳　跳

huá	滑雪 skiing
滑	12画　氵 滑冰　滑行 滑梯　滑稽

丶　丶　氵　氵　汒　泙　汨　泿

泿　滑　滑　滑

tái

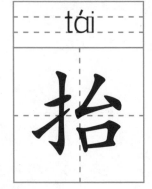

抬
carry

| 8画 | 扌 |

抬起　抬头

抬举　抬价

一　亻　扌　扫　扩　抑　抬　抬

káng

扛
shoulder

| 6画 | 扌 |

肩扛　扛枪

扛活　扛工

一　亻　扌　扌　扛　扛

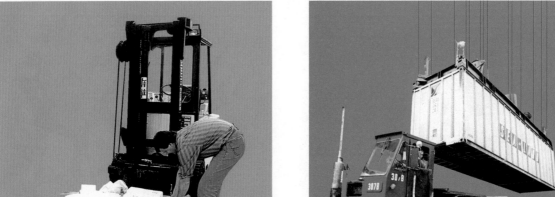

bān	搬 move
搬	13画　扌 搬动　搬走 搬迁　搬弄

一	亅	扌	扌	扩	扣	护	捔
捔	捔	搬	搬	搬			

yùn	运 carry
运	7画　辶 运输　运河 运气　运动

一	二	云	云	运	运	运	

34

擦
扫

cā	擦
	wipe

17画	扌

擦洗　擦汗

擦窗　摩擦

一　扌　扌　扩　扩　护　护　护

护　护　护　掞　掞　掞　擦　擦

sǎo	扫
	sweep

6画	扌

扫地　扫除

打扫　扫兴

一　扌　扌　打　扫　扫

xǐ	洗 wash
洗	9画　氵 洗手　洗澡 清洗　洗涤

丶　冫　氵　氵　氵　氵　氵　洗
洗

shuā	刷 brush
刷	8画　刂 刷牙　冲刷 刷子　印刷

乛　コ　尸　尸　吊　吊　刷　刷

接
送

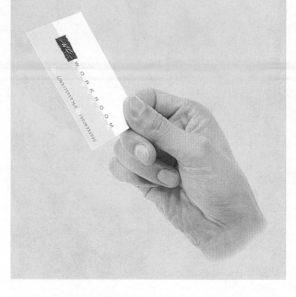

| jiē | 接 |
| | accept |

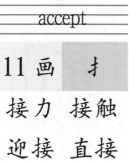

| 11画 | 扌 |

接力　接触
迎接　直接

| 一 | 亅 | 扌 | 扌 | 扩 | 护 | 护 | 拉 |
| 按 | 接 | 接 | | | | | |

| sòng | 送 |
| | give |

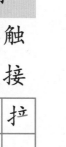

| 9画 | 辶 |

送信　送礼
欢送　送行

| 丶 | 丷 | 丷 | 兰 | 关 | 关 | 关 | 送 |
| 送 | | | | | | | |

lǐ	礼物 gifts
礼	5画　礻 礼品　礼花 礼节　礼貌

` 　ㄱ　ㅋ　礻　礼

ràng	谦让 share
让	5画　讠 让座　让路 让步　转让

` 　讠　讣　让　让

38

拍
打

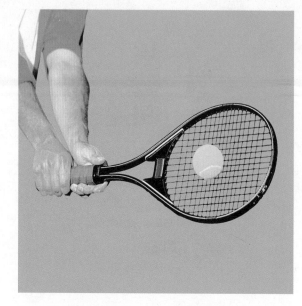

pāi

拍

拍球
bounce a ball

| 8画 | 扌 |

拍手　拍照

拍卖　节拍

一	扌	扌	扌	扸	拍	拍	拍

dǎ

打

打球
hit a ball

| 5画 | 扌 |

打击　打仗

打水　打扮

一	扌	扌	扌	打			

tuī	推 push
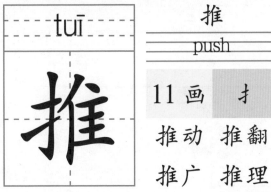	11画　扌
	推动　推翻 推广　推理

一　十　扌　扩　扩　扩　扩　拚
拚　推　推

lā	拉 pull
	8画　扌
	拉手　拉车 拉扯　拉拢

一　十　扌　扩　扩　扩　扩　拉

40

yǒu	朋友 friends
友	4画　又 友好　友爱 友谊　亲友

| 一 | ナ | 方 | 友 | | | |

41

kè	客气 polite
客	9画　宀 客人　请客 客厅　客车

| 丶 | 丷 | 宀 | 宀 | 夾 | 安 | 安 | 客 |
| 客 | | | | | | | |

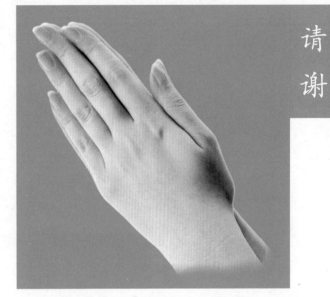

qǐng	请 please

10画　讠

请求　请假

请教　邀请

请

xiè	谢 thank

12画　讠

感谢　多谢

谢绝　凋谢

丶	讠	讠	订	请	请	请	请
请	请						

丶	讠	讠	订	诮	诮	诮	诮
诮	诮	谢	谢				

chū	出 go out
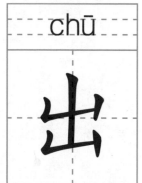	5画　凵 出发　出差 出生　出众

乚	乚	屮	出	出			

jìn	进 enter
	7画　辶 进来　进行 进步　前进

一	二	于	井	井	讲	进	

jǐ	挤 crowd
挤	9画　扌
	拥挤　挤满
	挤奶　排挤

一 亅 扌 扩 扩 扩 挤 挤
挤

yā	压 press
压	6画　厂
	压力　压缩
	压迫　压抑

一 厂 厂 斤 压 压

44

pàng

胖
fat

9画	月

肥胖　胖子

胖墩　发胖

)	刀	月	月	肦	肦	肵	胖
胖							

shòu

瘦
thin

14画	疒

瘦弱　消瘦

瘦小　瘦长

`	亠	广	广	疒	疒	疒	疒
疒	疖	疖	瘐	瘦	瘦		

měi	美丽
	beautiful

美

9画	羊

美好　美观

美味　美术

丶　丷　丷　兰　¥　羊　兰　美

美

chǒu	小丑
	clown

丑

4画	一

丑陋　丑态

丑恶　丑化

フ　刀　刃　丑

46

yōu	优秀 excellent
优	6画　亻
	优良　优美 优点　优势

丿　亻　仁　什　优　优

liè	恶劣 bad
劣	6画　小
	低劣　粗劣 劣质　劣迹

丶　丿　小　少　劣　劣

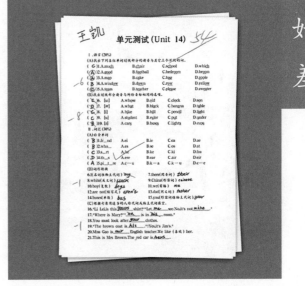

好
差

hǎo

好
good

6画 女

好看　好事
好处　好像

ㄑ	ㄑ	女	女’	妤	好

chà

差
poor

9画 羊

差劲　差生
太差　相差

、	丷	并	兰	兰	羊	差	差
差							

48

gōng	工厂 factory
	3画　工
	工人　工具 手工　工整

一　丁　工

nóng	农民 peasant
农	6画　冖
	农村　农田 农活　农业

丶　冖　宀　农　农

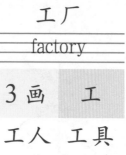

工
农

shāng	商业
	commerce

商

11画	一

商店　商品
商标　商量

xué	学生
	student

学

8画	子

学习　同学
学校　入学

、	亠	一	六	产	产	产	商
商	商	商					

、	丷	丷	丷	丷	学	学	学

50

文学
literature

wén

文

| 4画 | 文 |

语文　文化
文明　天文

丶　一　ナ　文

历史
history

shǐ

史

| 5画 | 口 |

史学　史书
史实　史诗

丿　口　口　史　史

lǐ	地理 geography
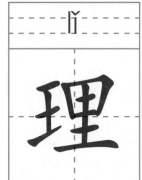	11画　王
	道理　理由 理解　修理

| 一 | 二 | 干 | 王 | 五 | 玑 | 玾 | 珒 |
| 珒 | 理 | 理 | | | | | |

huà	化学 chemistry
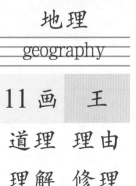	4画　亻
	化验　化石 绿化　变化

| ノ | 亻 | 仁 | 化 | | | | |

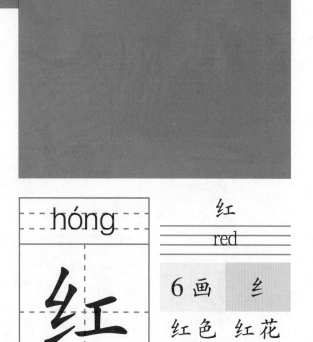

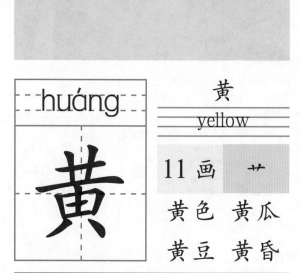

hóng

红
red

红

| 6画 | 纟 |

红色　红花

红旗　红薯

| 丨 | 乡 | 纟 | 纟 | 红 | 红 | | |

huáng

黄
yellow

黄

| 11画 | 艹 |

黄色　黄瓜

黄豆　黄昏

| 一 | 十 | 艹 | 丗 | 共 | 苎 | 昔 | 苗 |

| 苗 | 黄 | 黄 | | | | | |

lán

蓝
blue

| 13画 | 艹 |

蓝色　蔚蓝
蓝天　蓝图

绿

lǜ

绿
green

| 11画 | 纟 |

绿色　绿叶
绿阴　绿化

| 一 | 一 | 艹 | 艹 | 艹 | 艹 | 艹 | 艹 |
| 蓝 | 蓝 | 蓝 | 蓝 | 蓝 | | | |

| ㄥ | ㄥ | 纟 | 纟 | 纟 | 纟 | 纟 | 纟 |
| 绿 | 绿 | 绿 | | | | | |

chūn	春 spring
	9画　日
	春天　春游 春节　春蚕

一	二	三	声	夫	表	春	春
春							

qiū	秋 autumn
	9画　禾
	秋季　中秋 秋收　秋千

丿	二	千	千	禾	禾	秋	秋
秋							

dōng

冬
winter

| 5画 | 夂 |

严冬　冬泳
冬眠　冬储

冬

| 丶 | 勹 | 夂 | 冬 | 冬 | | |

xià

夏
summer

| 10画 | 夂 |

盛夏　夏至
夏装　华夏

夏

| 一 | 一 | 丆 | 百 | 百 | 百 | 頁 |
| 夏 | 夏 | | | | | |

	黑
hēi	black
	12画　黑
黑	黑色　黑暗
	乌黑　黑板

丶	口	口	回	四	甲	里	里
里	黑	黑	黑				

	白
bái	white
	5画　白
白	白色　洁白
	白天　明白

丿	亻	白	白	白			

灰褐

huī	灰
	grey

6画　火

灰色　灰暗
灰尘　灰心

一	ナ	ナ	广	炉	灰	

hè	褐
	brown

14画　衤

褐色　熟褐
褐土　褐藻

丶	ｺ	衤	衤	衤	衤	袒	褐
袒	袒	褐	褐	褐	褐		

58

duō	多 many
多	6画　夕
	许多　多余 多久　多么

丶　ク　夕　多　多　多

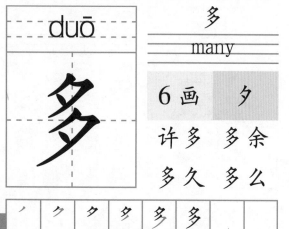

shǎo	少 few
少	4画　小
	少数　少量 少许　少见

丨　丨　小　少

xiǎo	小 small
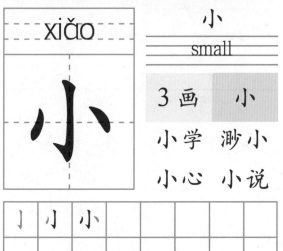	3 画　小 小学　渺小 小心　小说

丿	小	小					

dà	大 big
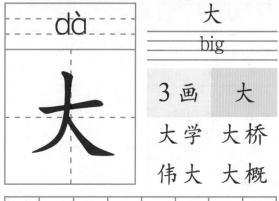	3 画　大 大学　大桥 伟大　大概

一	尢	大					

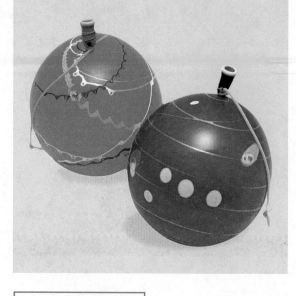

yī

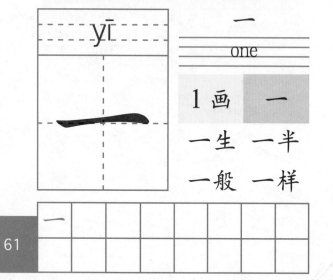

一
one

| 1画 | 一 |

一生　一半
一般　一样

èr

二
two

| 2画 | 二 |

第二　二月
二两　二胡

sān	三 three
三	3 画　一 三年　三国 三思　三角

一	二	三						

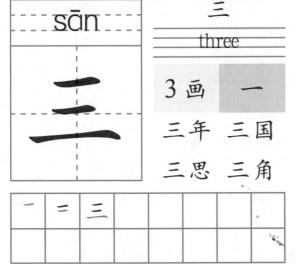

sì	四 four
四	5 画　口 四季　四周 四面　四肢

丨	冂	𱍊	四	四				

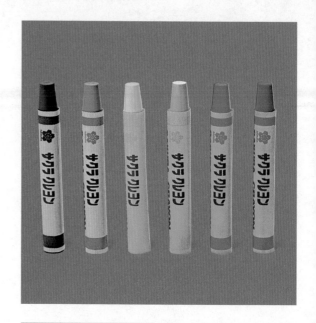

wǔ	五 five
	4画　一
五	五官　五谷 五味　五洲

| 一 | 丁 | 五 | 五 | | |

tiù	六 six
	4画　亠
六	六月　六艺 六亲　周六

| 丶 | 亠 | 六 | 六 | | |

qī	七
	seven

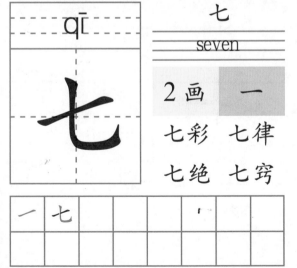

2画　一

七彩　七律

七绝　七窍

一	七			'		

bā	八
	eight

2画　八

八方　八仙

八卦　八成

ノ	八					

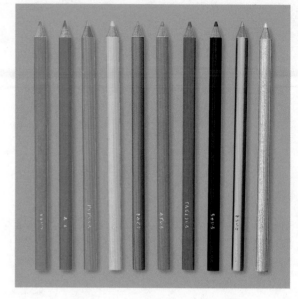

jiǔ

九
nine

2画　丿

九天　九州
九霄　九泉

丿　九

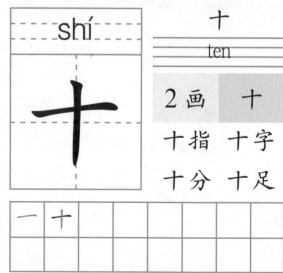

shí

十
ten

2画　十

十指　十字
十分　十足

一　十

百
千

bǎi

百
hundred

百

6画　白

百货　百科

百姓　百般

一　一　丆　万　百　百

qiān

千
thousand

千

3画　十

千万　千古

千秋　千金

丿　二　千

66

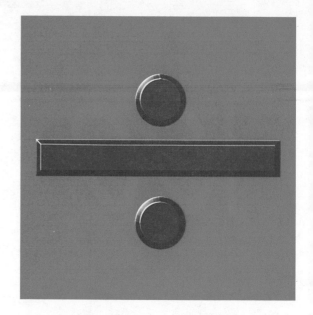

乘除

chéng

乘
multiply

10画	禾

乘号　乘法
乘积　乘客

ノ	二	千	千	千	千	乖	乖
乖	乘						

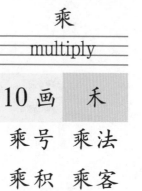

chú

除
divide

9画	阝

除害　根除
除夕　除非

⼂	⻖	⻖	队	险	险	除	除
除							

67

jiǎn

减

减
subtract

| 11画 | 冫 |

减少　减轻

减免　裁减

| 丶 | 冫 | 冫 | 冱 | 冱 | 冸 | 减 | 减 |

| 减 | 减 | 减 | | | | | |

jiā

加

加
add

| 5画 | 力 |

加油　加速

加工　参加

| フ | 力 | 加 | 加 | 加 | | | |

68

qián	前 front
前	**9**画　八
	前方　前途 前进　从前

、　丷　宀　广　肖　肖　肖　前

前

hòu	后 back
后	**6**画　丿
	落后　以后 后果　后悔

一　厂　厂　斤　后　后

zuǒ

左
left

5画　一

左边　左侧

左手　左转

一　ナ　ナ　左　左　左

yòu

右
right

5画　一

右面　右腿

右翼　右倾

一　ナ　ナ　右　右

70

里
外

	lǐ

里
inside

里

7画　里

家里　邻里

这里　里程

丶	一	口	日	甲	甲	里	

wài

外
outside

外

5画　夕

外表　郊外

外宾　外行

ノ	ク	夕	列	外			

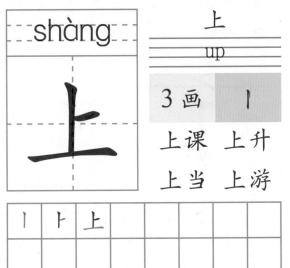

shàng

上

上
up

3画 丨

上课 上升
上当 上游

丨	卜	上				

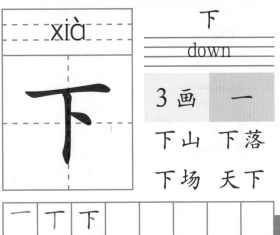

xià

下

下
down

3画 一

下山 下落
下场 天下

一	丁	下				

72

yuǎn

远
far

| 7画 | 辶 |

永远　遥远
远大　远古

一　二　テ　元　元　远　远

jìn

近
near

| 7画 | 辶 |

近来　近代
接近　亲近

丶　厂　斤　斤　沂　近　近

gāo	高
	tall

10画	亠

高楼　高明
高超　高兴

、	亠	冖	肀	高	宀	高	高
高	高						

dī	低
	low

7画	亻

低头　低温
低沉　低档

丿	亻	亻	仁	亻	低	低

74

fēng

峰
mountain peak

10画	山

峰

山峰　高峰

险峰　驼峰

㇑	山	山	山ノ	山ノ	山夂	山夅	山夆
峯	峰						

lǐng

岭
mountain range

8画	山

岭

山岭　峻岭

秦岭　岭南

㇑	山	山	山ノ	山𠆢	山𠆢	岭	岭

	坑 pit
kēng	7画　土

坑

泥坑　坑道
坑害　坑骗

一	十	土	圫	圫	圫	坑

	洼 depression
wā	9画　氵

洼

洼地　水洼
山洼　低洼

丶	丶	氵	氵	汁	汢	洼	洼
洼							

76

江
河

jiāng

长江
Changjiang River

6画　氵

江边　江南
江湖　江米

江

hé

黄河
Yellow River

8画　氵

河流　河岸
过河　拔河

河

丶丶氵氵江江

丶丶氵氵氵沪沪河

hú

湖
lake

湖

| 12画 | 氵 |

湖泊　湖水

湖畔　湖南

| 丶 | 丶 | 氵 | 汁 | 汁 | 汁 | 沽 | 沽 |
| 湖 | 湖 | 湖 | 湖 | | | | |

hǎi

海
sea

海

| 10画 | 氵 |

海洋　海浪

海岛　海关

| 丶 | 丶 | 氵 | 氵 | 汇 | 汇 | 海 | 海 |
| 海 | 海 | | | | | | |

78

tiān	天
	sky

天

4画 一

天空　天气
天真　天才

一 二 于 天

dì	地
	earth

地

6画 土

陆地　地震
地板　地址

一 十 土 圠 圠 地

shān	山 mountain
	**3画** 山
	山脉　山冈
	山林　山歌

丨	山	山					

yá	崖 cliff
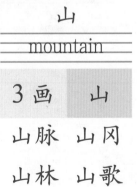	**11画** 山
	悬崖　崖壁
	崖岸　崖画

丶	屵	屵	屵	产	庐	庐	崖
崖	崖	崖					

80

yǔ

雨
rain

| 8画 | 雨 |

雨水　雨点
暴雨　雨伞

| 一 | 厂 | 冂 | 币 | 雨 | 雨 | 雨 | 雨 |

xuě

雪
snow

| 11画 | 雨 |

白雪　雪地
积雪　雪亮

| 一 | 厂 | 广 | 兩 | 乑 | 雫 | 雫 | 雪 |
| 雪 | 雪 | 雪 | | | | | |

léi	打雷 thunder
	13画　雨
	雷鸣　雷达 地雷　雷同

一	厂	广	千	千	雷	雷	雷
雪	雪	雪	雷	雷			

diàn	闪电 lightening
	5画　丨
	电视　电话 电梯　电池

丶	口	日	日	电			

82

shuǐ	水 water	
水	4 画	水
	开水	汽水
	水彩	水平

丿 刀 オ 水

huǒ	火 fire	
火	4 画	火
	火焰	火把
	火热	火锅

丶 丷 少 火

fēng	风 wind
	4画　风 刮风　台风 风景　风格

丿	几	凡	风				

shā	沙 sand
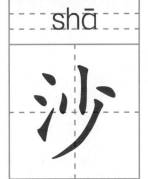	7画　氵 沙漠　沙滩 泥沙　沙发

、	丷	氵	汁	汃	沙	沙	

日月

	日
rì	sun
日	4画　日
	日光　日历
	日记　节日

丨 冂 冃 日

	月
yuè	moon
月	4画　月
	月亮　月牙
	月色　月份

丿 刀 月 月

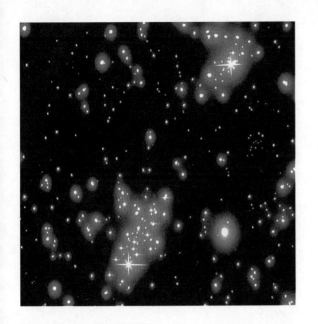

xīng	星
	star

9画　日

星球　星座
星期　明星

丶　丨　冂　冂　日　尸　尸　尸　星
星

yún	云
	cloud

4画　二

云朵　乌云
云霄　云集

一　二　云　云

树
叶

shù

树
tree

9画　木

树林　树苗
树枝　树立

一 十 才 木 村 杧 权 树
树

yè

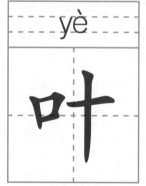

叶
leaf

5画　口

叶子　落叶
荷叶　叶脉

丶 丨 口 口 叶

cǎo	草 grass
草	9画　艹
	草原　草坪
	割草　草率

一 十 艹 艹 艹 苩 苩 莗
草

huā	花 flower
花	7画　艹
	花卉　鲜花
	花生　花样

一 十 艹 艹 艻 花 花

88

méi

梅花
plum blossom

| 11画 | 木 |

梅

腊梅　杨梅

梅子　梅雨

一	十	十	木	杧	杧	柠	梅
梅	梅	梅	梅				

lán

兰花
orchid

| 5画 | 八 |

兰

春兰　香兰

玉兰　兰草

| 、 | 丷 | 丷 | 兰 | 兰 | 兰 | 兰 | |

zhú	竹子 bamboo

竹

6画	竹

竹林　竹节

竹笋　竹竿

ノ	㇒	㇒	㇒	竹	竹		

jú	菊花 chrysanthemum

菊

11画	艹

秋菊　赏菊

采菊　菊石

一	一	艹	艹	芍	芍	芍	芍
菊	菊	菊					

sōng	松树 pine
松	8画　木
	松针　松软
	轻松　松懈

一　十　才　木　朳　松　松　松

tiǔ	柳树 willow
柳	9画　木
	垂柳　杨柳
	柳叶　柳絮

一　十　才　木　朳　柙　栁　柳

fēng	枫树 maple
枫	8画　木
	枫林　枫木
	枫叶　枫桥

一　十　才　木　札　机　机　枫

huà	桦树 birch
桦	10画　木
	白桦　黑桦
	桦林　桦木

一　十　才　木　术　杧　杧　桦

桦　桦

tián	田
	field

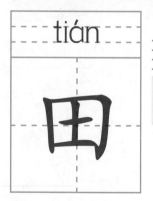

5画　田

农田　田野

耕田　田径

丨	冂	冂	田	田

tǔ	土
	soil

3画　土

土壤　泥土

领土　土豆

一	十	土

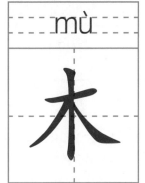

mù

木
wood

| 4画 | 木 |

树木　木板
木偶　木瓜

| 一 | 十 | 才 | 木 | | |
| | | | | | |

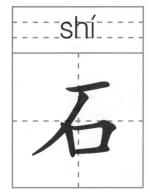

shí

石
stone

| 5画 | 石 |

石头　石碑
石器　石油

| 一 | 丆 | 厂 | 石 | 石 | |
| | | | | | |

94

路
lù

路
road

13画　足

道路　路线

路标　路过

丶	丶	口	口	足	足	足
趵	政	政	路	路		

桥
qiáo

桥
bridge

10画　木

桥梁　石桥

桥洞　过桥

一	十	才	木	术	栌	栌	桥
桥	桥						

lóu	楼
	building

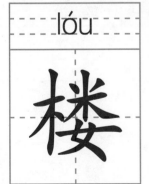

13 画　木

楼房　楼梯

阁楼　钟楼

一	十	才	木	术	术	栌	栌
枨	桬	楼	楼	楼			

tǎ	塔
	tower

塔

12 画　土

水塔　铁塔

灯塔　宝塔

一	十	土	土	圹	圹	圹	块
块	塔	塔	塔				

96

车
船

chē

汽车
car

| 4画 | 车 |

开车　停车

车厢　车间

| 一 | 二 | 车 | 车 | | | | |

chuán

轮船
ship

| 11画 | 舟 |

船只　帆船

划船　船员

| ′ | ⺁ | 𠂆 | 月 | 舟 | 舟 | 舟 | 舟 |
| 船 | 船 | 船 | | | | | |

飞机

fēi	飞机 plane
飞	3画　乙 飞行　飞翔 飞跃　飞快

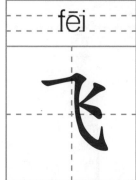

jī	拖拉机 tractor
机	6画　木 机器　机关 机灵　机会

98

qiāng

枪

枪
gun

8画	木

枪支　手枪
机枪　枪法

一　十　才　木　朩　朳　枱　枪

pào

炮

炮
cannon

9画	火

大炮　炮弹
炮台　炮兵

丶　丷　火　火　火　灼　灼　灼
炮

biāo	镖
	darts

镖

16画	钅

飞镖　掷镖

保镖　镖局

ノ	ノ	𠂉	乍	钅	钅	钅	铲
镖	镖	镖	镖	镖	镖	镖	镖

bǎ	靶
	target

靶

13画	革

靶子　靶心

打靶　靶场

一	十	卄	艹	𦾔	苫	苫	苴
革	靪	靬	靶	靶			

jīn	金 gold
	8画　金
	黄金　金子
	金币　金属

ノ 八 八 今 全 全 余 金

yín	银 silver
	11画　钅
	白银　银色
	银幕　银行

ノ 八 牛 钅 钅 钅 钅 钅
钅 钅 银

tóng

铜

铜
copper

| 11画 | 钅 |

铜板　铜钱

铜铃　铜矿

丿　𠂉　𠂉　钅　钅　钊　钉

钔　铜　铜

tiě

铁

铁
iron

| 10画 | 钅 |

钢铁　铁链

铁道　铁树

丿　𠂉　𠂉　钅　钅　钅　钅

铁　铁

102

锹
铲

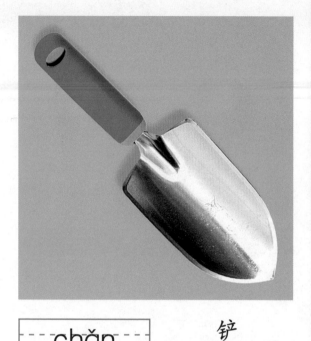

qiāo	锹 spade

14画	钅

铁锹　长锹

短锹　锹镐

ノ	／	ヒ	钅	钅	钅	钅	针
针	铁	铢	铢	锹	锹		

chǎn	铲 shovel

11画	钅

铁铲　锅铲

铲土　铲除

ノ	／	ヒ	钅	钅	钅	钅	铲
铲	铲	铲					

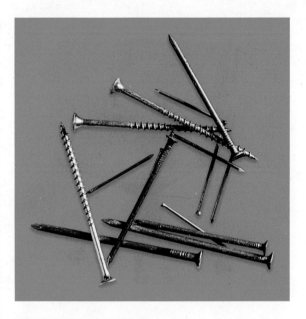

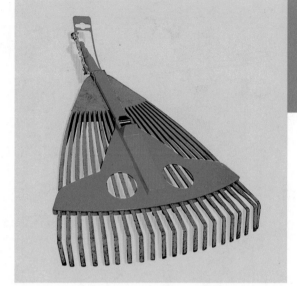

dīng	钉 nails
钉	7画　钅
	钉子　图钉 钉扣　钉螺

丿 丿 𠂉 𠂉 钅 钅 钉

pá	耙 rake
耙	10画　耒
	耙子　钉耙 粪耙　耙地

一 二 三 丰 丰 耒 耒 耙

耙 耙

桌
椅

zhuō

桌
table

桌

10画	木

桌子　书桌

课桌　桌布

| 丶 | 丶 | 上 | | 占 | 占 | 占 | 卓 |

桌　桌

yǐ

椅
chair

椅

12画	木

椅子　转椅

藤椅　轮椅

| 一 | 十 | 才 | 才 | 木 | 杧 | 杧 | 柠 |

柃　椅　梣　椅

mén	门
	door

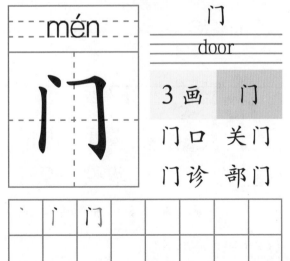

3画	门

门口　关门

门诊　部门

`	`	门						

chuāng	窗
	window

12画	穴

窗户　窗台

窗帘　纱窗

`	`	宀	宀	穷	窀	窅	窅
窅	窎	窗	窗				

yī		衣 clothes
衣		6画　衣 衣服　衬衣 毛衣　衣冠

丶　亠　　亠　　衤　　衣

mào		帽 hat
帽		12画　巾 帽子　礼帽 草帽　笔帽

丨　口　巾　巾　忄　帄　帄　帽

帽　帽　帽　帽

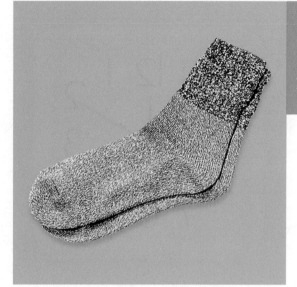

xié	鞋
	shoes

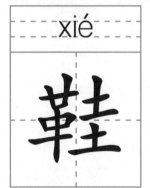

15画	革

皮鞋 凉鞋

拖鞋 鞋油

一	一	廿	廿	廿	苩	苫	苴
革	革	革	鞋	鞋	鞋	鞋	

wà	袜
	socks

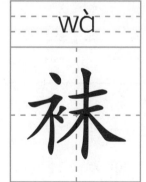

10画	衤

袜子 丝袜

棉袜 穿袜

、	㇟	衤	衤	衤	衤	衤	衤
衤	袜						

zhōng	钟表 clock
	9画　钅 时钟　钟点 钟声　钟爱

ノ	ヒ	仁	钅	钅	钅	钐	钟
钟							

biǎo	手表 watch
	8画　一 表现　表演 表扬　表情

一	二	丰	丯	声	耒	表	表

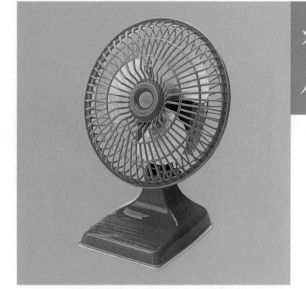

dēng	台灯 table lamp
灯	6画　火
	灯具　灯光 灯笼　灯谜

| 、 | 、 | 丷 | 火 | 火 | 灯 | | |

shàn	电扇 electric fan
扇	10画　户
	扇子　风扇 折扇　扇面

| 、 | 、 | ㇆ | 户 | 户 | 户 | 启 | 扇 |
| 扇 | 扇 | | | | | | |

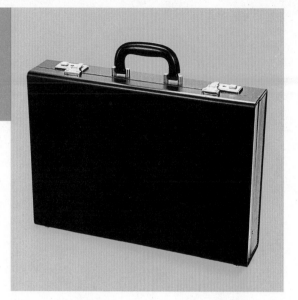

xiāng	箱子 trunk
	15画　　竹 皮箱　信箱 水箱　油箱

丿　卜　卜　竹　竹　竹　竿　竿
竿　箏　箝　箱　箱　箱　箱

guì	柜子 wardrobe
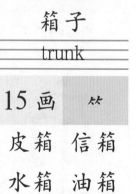	8画　　木 衣柜　书柜 碗柜　柜台

一　十　才　木　杧　柜　柜　柜

kuàng	画框
	picture frame

框

10画	木

门框　窗框
镜框　边框

一	十	才	木	杧	杧	杧	框
框	框						

jià	画架
	easel

架

9画	木

衣架　打架
架空　架设

フ	力	加	加	加	加	架	架
架							

112

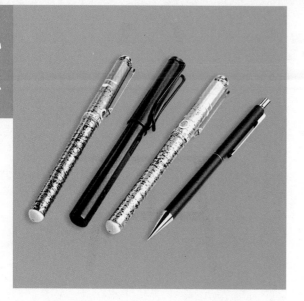

bǐ

钢笔

pen

笔

10画	竹

铅笔　笔画

笔记　笔直

丿	⺮	⺮	⺮	竹	竹	竺	竺
竺	笔						

mò

墨水

ink

墨

15画	黑

墨汁　墨盒

墨迹　墨镜

丨	口	四	四	四	甲	甲	里
里	黑	黑	黑	黑	墨	墨	

zhǐ	纸张 paper
纸	7画　纟
	报纸　纸巾 纸牌　折纸

| 乚 | 幺 | 纟 | 纟 | 纟 | 纸 | 纸 | |

yàn	砚台 inkstone
砚	9画　石
	砚池　石砚 端砚　砚友

| 一 | 丆 | 兀 | 石 | 石 | 石 | 砚 | 砚 |
| 砚 | | | | | | | |

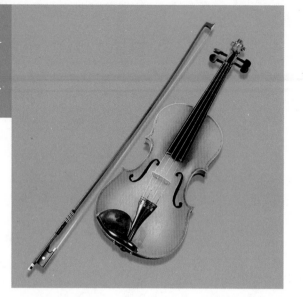

qín	琴 violin
琴	12画　王 提琴　风琴 钢琴　弹琴

| 一 | 二 | 三 | 王 | 王 | 珏 | 珏 | 珏 |
| 珏 | 珡 | 琹 | 琴 | | | | |

qí	棋 chess
棋	12画　木 棋子　棋盘 棋迷　棋艺

| 一 | 十 | 十 | 木 | 木 | 杧 | 枏 | 柑 |
| 柑 | 棋 | 棋 | 棋 | | | | |

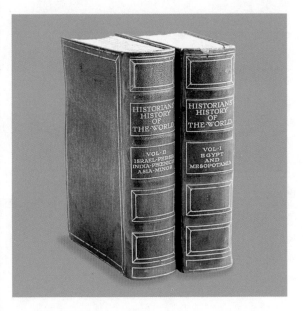

shū

书
book

| 4画 | 乙 |

书本　书包
读书　书写

| ㇆ | 乛 | 书 | 书 | | | |

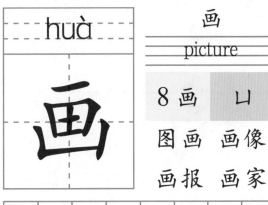

huà

画
picture

| 8画 | 凵 |

图画　画像
画报　画家

| 一 | 一 | 一 | 一 | 一 | 一 | 一 | 一 |

guō	锅 pan
锅	12画　钅
	奶锅　沙锅 锅盖　锅炉

ノ	ノ	ﾁ	ﾟ	钅	钅	钔	钔
钔	锅	锅	锅				

wǎn	碗 bowl
碗	13画　石
	瓷碗　茶碗 碗碟　碗橱

一	ﾗ	ﾌ	石	石	石	矿	矿
矿	矿	碗	碗	碗			

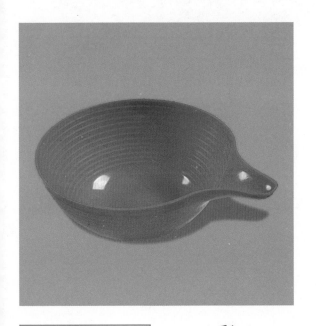

piáo

瓢
gourd ladle

16画　瓜

水瓢　木瓢

瓢泼　瓢虫

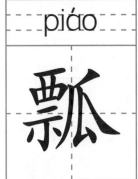

一	一	一	丙	西	西	西	覀
票	票	票	票	瓢	瓢	瓢	瓢

pén

盆
basin

9画　皿

瓦盆　浴盆

花盆　盆地

ノ	八	分	分	分	盆	盆	盆
盆							

盘
筷

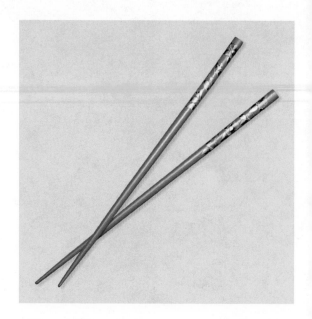

pán	盘
	plate

11 画　皿

盘子　算盘
盘问　盘旋

丶　丿　刀　刀　舟　舟　舟　舟
舟　盘　盘

kuài	筷
	chopsticks

13 画　⺮

筷子　木筷
竹筷　碗筷

丿　⺅　⺮　⺮　筷　筷　筷　筷
竹　竹　竹　筷　筷

119

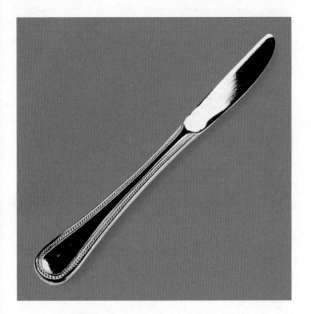

dāo

刀
knife

| 2画 | 刀 |

刀片　剪刀

刀刃　磨刀

フ	刀			

chā

叉
fork

| 3画 | 叉 |

叉子　叉车

交叉　叉烧

フ	又	叉			

120

yóu

油
oil

8画　氵

豆油　油漆

油腻　油灯

油

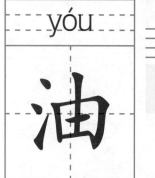

丶	丶	氵	汁	沪	泊	油	油

yán

盐
salt

10画　皿

食盐　精盐

盐酸　盐田

盐

一	十	土	圤	圤	卦	盐	盐
盐	盐						

jiàng	酱
	sauce

13画　酉

大酱　酱油

麻酱　酱菜

丶	丬	丬	丬	丬	丬	丬	丬
丬	丬	丬	酱	酱			

cù	醋
	vinegar

15画　酉

米醋　陈醋

醋精　醋意

一	厂	厂	厂	丙	丙	酉	酉
酉	酉	酐	酐	醋	醋	醋	

122

suān

酸
sour

14画	酉

酸枣　酸雨

酸痛　辛酸

一	厂	厂	厈	西	酉	酉	酉
酢	酸	酸	酸	酸	酸		

tián

甜
sweet

11画	舌

甜瓜　甜点

甜蜜　甘甜

一	二	千	千	舌	舌	舌	舔
甜	甜	甜					

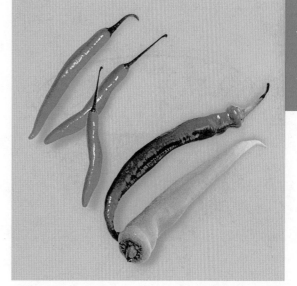

kǔ	苦 bitter
苦	8画　艹 苦瓜　吃苦 苦恼　艰苦

一 十 艹 艹 芊 芊 苦 苦

là	辣 peppery
辣	14画　辛 辣椒　辣酱 泼辣　毒辣

丶 亠 亠 立 立 辛 辛

辛 辛 辣 辣 辣

fàn

米饭
cooked rice

饭

7画　饣

饭粒　饭盒
饭店　煮饭

| ノ | ⟍ | 饣 | 饣 | 饣 | 饭 | 饭 | |

cài

蔬菜
vegetables

菜

11画　艹

白菜　青菜
菜花　菜肴

| 一 | 十 | 艹 | 艹 | 艹 | 艹 | 芯 | 莁 |
| 苹 | 苹 | 菜 | | | | | |

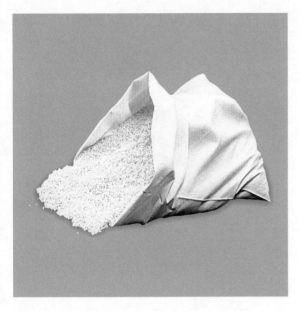

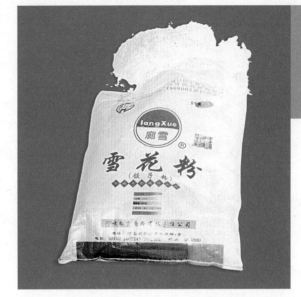

mǐ	大米 rice
	6画　米 稻米　玉米 小米　米粉

、　丷　丷　半　半　米

miàn	面粉 flour
	9画　一 面孔　表面 场面　对面

一　厂　厂　而　而　而　面

面

梨
桃

lí	鸭梨 pear
梨	11画　木
	白梨　梨花
	梨树　梨园

ˊ	ˋ	千	千	禾	利	利	利
利	梨	梨					

táo	桃子 peach
桃	10画　木
	黄桃　棉桃
	核桃　桃红

一	十	十	木	杉	材	杉	杉
桃	桃						

guǒ	苹果 apple
果	8画　木
	果实　果汁
	果断　结果

丶	丨	口	日	旦	甲	果	果

guā	西瓜 watermelon
瓜	5画　瓜
	香瓜　南瓜
	瓜皮　瓜分

丿	厂	瓜	瓜	瓜

cōng

葱

scallion

12画	艹

大葱　葱花

洋葱　葱郁

一	一	艹	艹	芍	芍	苅	苅
苅	荵	葱	葱				

jiāng

姜

ginger

9画	羊

生姜　姜汤

姜片　姜黄

丶	丷	꼭	兰	¥	羊	姜	姜
姜							

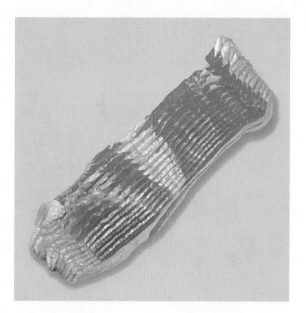

ròu	肉
	meat

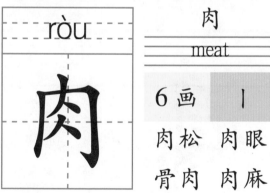

6画　丨

肉松　肉眼
骨肉　肉麻

| 丨 | 冂 | 内 | 内 | 肉 | 肉 | |

dàn	蛋
	egg

11画　疋

鸡蛋　蛋青
蛋糕　蛋卷

| ⁊ | ⁊ | 兀 | 疋 | 疋 | 疋 | 昬 | 蛋 |
| 蛋 | 蛋 | 蛋 | | | | | |

130

烟
酒

yān

香烟
cigarette

烟

10画	火

烟火　烟雾
烟尘　炊烟

丶	丶	少	火	灯	炯	炯	炳
炳	烟						

jiǔ

啤酒
beer

酒

10画	氵

酒精　酒吧
醉酒　酿酒

丶	丶	氵	氵	汀	沔	沔	酒
洒	酒						

táng	糖果
	candy

糖

16画	米

白糖　糖块
糖浆　糖精

、	丶	丷	半	半	米	米	米
粓	粓	粐	粐	糖	糖	糖	糖

chá	茶水
	tea

茶

9画	艹

茶叶　茶花
茶几　茶馆

一	一	艹	艹	艾	芯	苶	茶
茶							

132

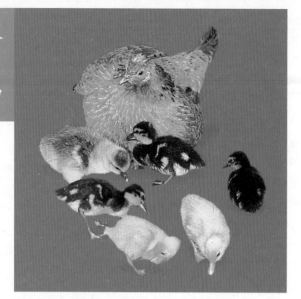

qín	禽 poultry
禽	12画　人
	家禽　猛禽
	珍禽　禽兽

ノ	人	人	今	今	今	金	舍
含	禽	禽	禽				

niǎo	鸟 bird
鸟	5画　鸟
	鸟类　候鸟
	驼鸟　鸟瞰

'	勹	勹	鸟	鸟			

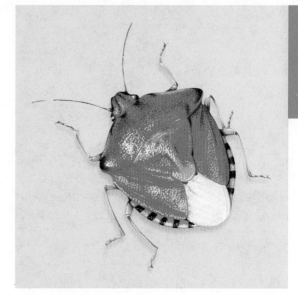

yú

鱼
fish

鱼

| 8画 | 鱼 |

鲤鱼　甲鱼
鱼饵　鱼网

ノ ク ク 勺 匄 角 鱼 鱼

chóng

虫
insect

虫

| 6画 | 虫 |

昆虫　虫卵
虫牙　虫害

丶 口 口 中 虫 虫

134

guī	龟 tortoise
龟	7画　丿 乌龟　海龟 龟壳　龟裂

丿	⺈	⺌	夕	刍	白	龟

shé	蛇 snake
蛇	11画　虫 毒蛇　蟒蛇 蛇胆　蛇蝎

丶	㇆	口	中	虫	虫	虫丿	虫
虫⺈	蛇	蛇					

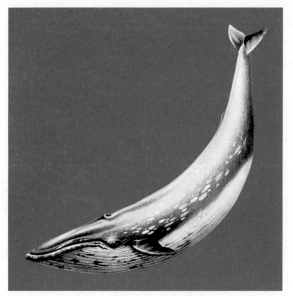

鲸
鲨

jīng	鲸 whale

16画	鱼

鲸鱼　蓝鲸
鲸脂　鲸吞

ノ	ク	ク	名	甸	鱼	鱼	鱼
鱼	鲭	鲭	鲭	鲭	鲸	鲸	鲸

shā	鲨 shark

15画	鱼

鲨鱼　白鲨
角鲨　幼鲨

丶	氵	氵	氵	汃	沙	沙	沙
沙	沙	鲨	鲨	鲨	鲨	鲨	

136

wén	蚊 mosquito
	10画　虫 蚊子　灭蚊 蚊香　蚊帐

丶	丷	口	中	虫	虫	虫	虫
虸	蚊						

yíng	蝇 fly
	14画　虫 苍蝇　蝇子 果蝇　蝇拍

丶	丷	口	中	虫	虫	虫	虮
虸	虸	蛠	蝐	蝐	蝇		

fēng	蜂 bee

蜂

13画	虫

蜜蜂　蜂王
蜂窝　蜂鸟

丶	丶	口	中	虫	虫	虫	蚁
蚁	蛟	蜂	蜂	蜂			

dié	蝶 butterfly

蝶

15画	虫

蝴蝶　粉蝶
凤蝶　蝶泳

丶	丶	口	中	虫	虫	虫	虹
蚌	蚶	蝴	蝴	蝶	蝶	蝶	

138

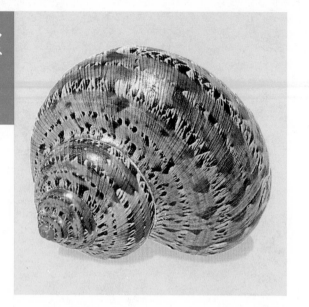

	螺
luó	spiral shell
螺	17画　虫
	海螺　田螺
	螺号　陀螺

| 丶 | 丷 | 口 | 虫 | 虫 | 虫 | 虫 | 虫 |
| 虫 | 螺 | 螺 | 螺 | 螺 | 螺 | 螺 | 螺 |

	贝
bèi	shell
贝	4画　贝
	贝壳　扇贝
	宝贝　贝类

| 丨 | 冂 | 贝 | 贝 | | | | |

	蟹
xiè	crab

19画	虫

蟹

螃蟹　海蟹
河蟹　蟹黄

| ' | ク | ク | 介 | 角 | 角 | 角 | 角 |
| 解 | 解 | 解 | 解 | 解 | 解 | 解 | 蟹 |

	虾
xiā	lobster

9画	虫

虾

龙虾　对虾
虾米　虾酱

| ' | 口 | 口 | 中 | 虫 | 虫 | 虫 | 虾 |
| 虾 | | | | | | | |

xiàng

象

象
elephant

11画	ク

大象　象牙
形象　象征

⺈	⺈	⺈	刍	刍	刍	勹	勹
象	象	象					

shī

狮

狮
lion

9画	犭

狮子　雄狮
狮王　狮吼

ノ	犭	犭	犭	狐	狐	狮	狮
狮							

hǔ	虎
	tiger
	8画　虍
	老虎　猛虎
	虎啸　虎穴

'	⺊	上	广	虍	虎	虎	虎

bào	豹
	leopard
	10画　豸
	豹子　猎豹
	云豹　豹猫

⺈	⺈	⺈	多	豸	豸	豸	豹
豹	豹						

yīng

鹰

老鹰
eagle

18画　广

雄鹰　苍鹰
鱼鹰　鹰爪

yàn

燕

燕子
swallow

16画　灬

燕雀　燕尾
燕窝　燕麦

、	广	广	广	广	广	庐	庐
庐	庐	庐	鹰	雁	雁	膺	鹰

一	十	廿	廿	廿	苗	苗	苗
苗	苗	苗	燕	燕	燕	燕	燕

gē

鸽

鸽子
pigeon

11画	鸟

家鸽　野鸽
信鸽　鸽哨

ノ	ハ	ケ	ケ	合	合	合	合
鸽	鸽	鸽					

yā

鸦

乌鸦
crow

9画	鸟

老鸦　寒鸦
涂鸦　鸦片

一	二	于	牙	牙'	牙'	牙'	鸦
鸦							

144

láng

狼
wolf

| 10画 | 犭 |

狼狗　狼狈

狼藉　狼烟

丿	犭	犭	犭	犭	犭	犭	狼
狼	狼						

chái

豺
jackal

| 10画 | 豸 |

豺狼当道

豺狼成性

丿	丶	丷	豸	豸	豸	豸	豸
豺	豺						

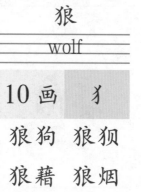

hú

狐
fox

8画	犭

狐狸　狐仙
狐臭　狐疑

狐

ノ	丿	犭	犭	犭	狐	狐	狐

yòu

鼬
weasel

18画	鼠

黄鼬　青鼬
香鼬　鼬獾

鼬

′	⺁	⺁	白	白	白	臼
臼	鼠	鼠	鼠	鼠	鼠	鼬	鼬

146

鼠
兔

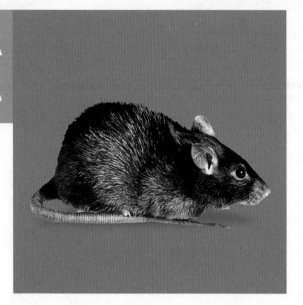

shǔ	鼠 mouse
鼠	13画　鼠 老鼠　松鼠 鼠疫　鼠标

| ´ | ⌐ | ⌐ | 臼 | 臼 | 臼 | 臼 | 臼 |
| 臼 | 鼠 | 鼠 | 鼠 | 鼠 | | | |

tù	兔 rabbit
兔	8画　ク 兔子　家兔 野兔　兔毛

| ノ | ク | ク | 勺 | 各 | 台 | 兔 | 兔 |

hóu	猴
	monkey

猴

12 画	犭

猴子　猕猴

耍猴　猴拳

丿	犭	犭	犭	犷	犷	狞	狞
犷	猴	猴	猴				

wā	蛙
	frog

蛙

12 画	虫

青蛙　牛蛙

林蛙　蛙鸣

丶	口	口	中	虫	虫	虫一	虫十
虫士	蛙	蛙	蛙				

148

zhū

猪
pig

11画　犭

肥猪　猪崽

猪排　猪肉

丿 丁 犭 犭 犷 狞 狆 狣

猪 猪 猪

mǎ

马
horse

3画　马

骏马　马匹

马虎　马上

㇖ 马 马

niú

牛
cow

牛

| 4画 | 牛 |

牛犊　牤牛

牛角　吹牛

丿　亠　仁　牛

yáng

羊
sheep

羊

| 6画 | 羊 |

绵羊　山羊

羚羊　羊羔

丶　丷　兰　兰　兰　羊

māo		猫 cat
		11画　犭
		花猫　山猫
		熊猫　猫腰

丿	犭	犭	犭	犷	犸	犸	猫
猫	猫	猫					

gǒu		狗 dog
		8画　犭
		小狗　猎狗
		狗熊　狗洞

丿	犭	犭	犭	狥	狗	狗	狗

	jī

鸡
chicken

7画	鸟

公鸡　母鸡

鸡雏　火鸡

乛	又	又ˊ	㐅	鸡	鸡	鸡	

	yā

鸭
duck

10画	鸟

鸭子　野鸭

鸭蛋　鸭绒

丶	冂	日	日	甲	甲ˊ	甲丶	甲丶
鸭	鸭						

偏旁

偏旁	名 称	例 字		偏旁	名 称	例 字	
冫	两点水	次 冷 准		囗	方匡	因 国 图	
冖	秃宝盖	写 军 冠		彳	双人旁	行 征 徒	
讠	言字旁	计 论 识		夂	折文	冬 处 夏	
厂	偏 厂	厅 历 厚		犭	反犬旁	狂 独 狠	
匚	三匝栏	区 匠 匣		饣	食字旁	饮 饲 饰	
刂	立刀旁	列 别 剑		孑	子字旁	孔 孙 孩	
冂	同字匡	冈 网 周		纟	绞丝旁	红 约 纯	
亻	单人旁	仁 位 你		灬	四 点	杰 点 热	
勹	包字头	勺 勾 旬		火	火字旁	灯 灿 烛	
厶	私 字	允 去 矣		礻	示字旁	礼 社 祖	
廴	建之旁	廷 延 建		王	王字旁	玩 珍 班	
卩	单耳旁	卫 印 却		木	木字旁	朴 杜 栋	
阝	双耳旁	防 阻 那		牛	牛字旁	牡 物 牲	
氵	三点水	江 汪 活		攵	反文旁	收 政 教	
爿	将字旁	壮 状 将		疒	病字旁	症 疼 痕	
忄	竖心旁	怀 快 性		衤	衣字旁	初 袖 被	
宀	宝 盖	字 定 宾		罒	四字头	罗 罟 罪	
广	广字旁	庄 店 席		皿	皿字底	盂 益 盎	
辶	走 之	过 还 送		钅	金字旁	钢 钦 铃	
土	提土旁	地 场 城		禾	禾木旁	和 秋 种	
艹	草字头	艾 花 英		米	米字旁	粉 料 粮	
廾	弄字底	开 弁 异		虍	虎字头	虏 虑 虚	
尢	尤字旁	尤 龙 尬		竹	竹字头	笑 笔 笛	
扌	提手旁	扛 担 摘		𧾷	足字旁	跃 距 蹄	

笔 画	名 称	运笔方向	例 字
、	点	↘	六
一	横	→	五
丨	竖	↓	不
丿	撇	↙	八
㇏	捺	↘	大
㇀	提	↗	我
㇇	横钩	→ ↓	你
亅	竖钩	↓	小
㇂	斜钩	↘	纸
㇆	横折	→ ↓	口
ㄥ	竖折	↓ →	山

笔顺	例字	笔顺	规则
	十	一 十	先横后竖
	人	丿 人	先撇后捺
	三	一 二 三	从上到下
	什	亻 什	从左到右
	月	刀 月	从外到内
	国	冂 囯 国	先里头后封口
	小	亅 小 小	先中间后两边

学前三百字

禾稼 著

责任编辑 郭兵 装帧设计 郭兵

吉林美术出版社出版发行 （长春市人民大街4646号）

沈阳天择彩色广告印刷有限公司印刷

787 × 1092毫米 24开 6.5印张

2001年6月第一版 2006年5月第十三次印刷

定价：12.90元

ISBN 7-5386-1173-8/J·880

a 啊

o 喔

e 鹅

i 一

ui 喂

ao 袄

ou 鸥

iu 邮

en 摁

in 印

un 蚊

ün 晕